そして君と歩いていく

岡田幸文

ミッドナイト・プレス

＊

そして君と歩いていく

*

エニグマの像

なにもかもが途絶えた昼下がり
さそうものがある
ひとだろうか
獣のにおいがする

人のかたちをしたそのものが呪《のろい》を口にしていると知れたとき
陽はすでにスカイラインを沈みはじめている
かいま見られたものが書き割りの背後に隠れるとき
書記が登場する

それが再死のことだと知れたとき
もはや　たれもいなかった
つばめは、いま、どこを飛んでいるのだろう

回収されるものを遠く離れて
生涯の始まりを記述するものがいる
ひとだろうか

歌降町

私は歩いている。
私はひとり歩いている、
誰も歩いていない午下がりの歌降町《うたふりまち》を。
歩くことからしか始められなかったから
私はいつも歩いている。
到着は無意味だ。
だから、今日も私は、
改行するように、
その小さな曲がり角を左に曲がって

抜寺町《ぬけでらまち》のほうへと足を向ける。
すると、曲がり角では必ず
人とすれちがうのだ。
私ひとりではないというわけか、
歩いているものは。

冬のシャンソン

「あなたを奪いたい
　このようにしか歌えない私の心とはいったいなんだろう…」
カウンターテナーが歌い始める
いま、ここで生きているものは声だけ
「このアリアの起源は十六世紀にさかのぼるのよ」
耳元で君がささやく　歌うように
短かいアリアだった
短かさが比喩のようだった
十二月の新宿の夜

ふたりは歩きつづける
書割の森をさまようように
「もう少し歩きましょう」
そして
冬がきたえられていく

夜のメロディー

夜の東京　あるいは
ＴＯＫＹＯの夜にズブズブと沈飲する
快楽を求める心と快楽を厭う心とがグラスの底で揺れている
いったい、この上に何が重ねられるのだろう

隣りでは世紀末の女が二杯目のマティーニを飲みほす
O Brave New World！
すりきれたレコードがシェイクスピアのフレーズを繰り返している
遠くまで行きたいとねがった夜

夜なき夜を重ねた夜
夜だけが知っているのだ
いつだって恋だけが新しかった、と

女と蹌踉と歩く夜のブールバール
空には高積雲が浮かんでいる
あれは預言者か

どこへ

涸れた河を渡り
石の丘を越え
Beau Rivage*
風が波を生む

喪の一日
繰り返される投企の営みはない
波が風を生むこともある

どこへ行くのだ
かの聖人も踏みとどまった
この岸辺を過ぎて

日が暮れる
愚かさが試されるとき
駆けていくものがある
風と波とのあわいをくぐりぬけ

＊　Y湖畔に建つ「美しい岸」という名のホテル

京都　4

僕は歩いた
ただひとり
僕は歩いた
あてもなく
僕は歩いた
橋を渡り
僕は歩いた
河原に降り
僕は歩いた

石段をのぼり
僕は歩いた
夕陽をながめ
僕は歩いた
クスリを飲み
僕は歩いた
ウイスキーを呑み
僕は歩いた
肝硬変を笑いながら
僕は歩いた
鈴木美恵子のように
僕は歩いた
福田章二のように

僕は歩いた
弥勒の顔を思い出し
僕は歩いた
笛に誘われ
僕は歩いた
わけもなく
僕は歩いた
僕を歩いて
僕は歩いた
僕が歩いて
僕は歩いた

京都　5

主題ではない、方法の街の夕暮れが十四時二十分東京発ひかり87号
　の車窓の向こうにみえてくる。

四条河原町交差点、信号が赤から青に変わり横断歩道を渡り始める
　直前、背後からビートルズの歌が聞こえてくる。

You say good-bye,
I say hello.

意識が間投詞で表現され
この河原町通りを北へと歩く
洛北へと歩きつづけることがきめられる

タレガサヨナラヲイウノカ
快楽の
時は短かい
北へ
北へと往かされる私の影よ
（詩ヨ）

主題ではない、方法の街の宵闇は暮れゆくばかりだ

一九九〇年秋、新宿

市ヶ谷の陸上自衛隊を右に見て
四谷荒木町を抜け
愛住町を過ぎて
明治通りを渡り
靖国通りを右に逸れ
花園神社の境内を抜け
その石段を下りるとき
「われ常にここにおいて切なり」*
と語った男の声が聞こえてきて

路上では夜のバスが待っている
いちばんうしろの座席にひとりすわると
見知らぬひとたちのうしろ姿のなかに
懐しい後頭部がならんでいる
父がいて、母がいて、□□がいて、□□がいて、□□□がいて……
そして
私がいて
夜のバスが新宿五番街を走り抜ける
紅燈のちまたに往きてかへらざる人をまことのわれと思ふや[**]
完成まぢかい東京都庁舎ビルを見上げながら
北新宿に出ると
山手通りもすぐそこだ
夜のバスの旅に終着駅はなく

もとよりアルカディアもなく
太陽は昇らないことで自らの正当性を主張しながら
夜のバスの乗客たちの顔を照らしている
十三間通りまで　そして
西暦二〇〇〇年まで
あともうすこし

＊　「従容録」
＊＊　吉井勇

春歌　1

地獄だ
懶惰な賭博に明け暮れて
敗北だけが戯れではなくなる
水の揺れがいっさいの始まりであったとき
この世の果てはどこにあったのだろう
たどりついた汀で
さびしく酔ってダンスをすれば
葦が揺れる
私も揺れる

においたつ春の夕べ
明るい歌が過ぎていく

春歌　2

雪に足をとられながら聴くヴィヴァルディはいい
強迫と調和のアレグロ
この道なき道が今日なのだ
前に出る足と地に沈む足との闘争がたどりつく先はすでに記載され
　ている
彼らの判断は正しかったのだ
春の訪れとともに質量がきえていく
その解放のとき　その拘束のとき
歩行の跡だけが保留されている

最後の夜

作られた詩なんて沢山だ
女が忘れていった詩集を読みかけて
閉じる

ターンテーブルの上に置かれたままのレコードに針をおろせば
センチメンタルなジャズ・ピアノのフレーズが予想されたように流れ
ベッドの上に横になれば
女のにおいがかすかに残っている

先刻まで女はこのベッドのなかにいて
歌をうたってくれたりしていたが
朝になれば
俺もこの部屋を出る

男一人の引越というのに
ダンボール箱が多すぎる
すべては失くしてもよかったものだ

もういいのだ
女には帰る場所があったが
俺にはなかった
だけのこと

このありふれた神話のなかで
俺は最後の荷造りをはじめた

前夜

死において許されるものと
許されないものとがある
ことを知ったのは　この夏だ
Rの死は　その後にやってきた
その特権的な死は
生者と死者とを問わず想起させた
生の絶対　いや　絶対の生を――
もうたくさんだ！
吐息をつくようにアズナヴールが歌っている

ミッドサマーからミッドオータムへと
さすらっていくもの
それは「石ころのやう」な宿命か
雨はいよいよ激しく
人の名を　土地の名を消していく

思い出

待つことだけで暮れていく
やくたいもない一日
夜がとけていく
記録されないままに

虫に食われた
虫に食わせた文字の累々たるを踏みつけて
夜の窓に浮かぶ直視の瞳

アポリネールの諦念と再生とを思い出そう
何が欠け
何が過剰だったかを

広場では今日もまた旅立つ人たちが行き交っている
ここで記録されるものはなにもないだろう
記憶されるものもまた……
やくたいもなく甘美な一日の終わりだ

一九九九年一月十一日、数寄屋橋を往く

堕ちることだけが残されている
「となふれば仏もわれもなかりけり南無阿弥陀仏なむあみだぶつ」
遊行する者の声が過ぎていく
歌はない
たれもいなかった岐路の経緯は封印されたまま
たましいだけが空《くう》をさまよっている
一九＊＊年の空《そら》を

それは未来を悔恨する称名なのだろうか

断崖から転げ落ちる重さは記録に耐えない
回心の契機はあらかじめ失われていた
妄執だけが寛容を知っているのだ
切！
一枚の葉が舞い降りてくる
笑《え》まいするように

夜の歌

告白します
なにも愛していないことを
告白します
たれも愛していないことを

いつだって歌は通俗的だ
流れるものの宿命なのか
起源はついに尋ねられない

流れるものの宿命だろう
執着が伴侶となったとき
日が昏れる

夜が親しいのはなぜ?
生白い闇を浮遊するものたちに囲まれて
いつまでもゼロの捕獲者だ
ゼロの

一九九二年のリバー・ガレージ・ギグ

彼女は上流に帰っていった
彼は下流に帰っていった
そして　俺はまだここに残っている
川べりの
このだだっ広いだけがとりえの
なにもないガレージの片隅で
ブルースのコードを練習しながら
上流に帰った彼女はもう音楽を必要としていないだろう
下流に帰った彼は音楽のことなど忘れてしまったかもしれない

そして　ガレージに残った僕は
相変わらずいつものコードを練習している
二十年以上昔に流行したやつさ
だけど
今日までずっと
毎日ギターを弾いてきたわけじゃない
音楽を聴かなかった
聴こうともしなかったときもあったのさ
それがいつの頃だったたか
うまく思い出せないのだが
音楽とうまく付き合うきっかけがつかめなくて
新しい音楽を追いかけるタイミングを失ってしまったんだ
それがどんなときだったたか

思い出そうとするのだけれど
結局なにも思い出せない
ただ
彼女が上流に帰り
彼が下流に帰って
何年かが過ぎ
ひとりガレージに残された僕は
また音楽を聴き始めていた
流行りの歌ではなく
二十年以上昔の歌だけど
それでも
いまの僕には音楽が必要だということだけはわかっている
川べりの

このだだっ広いだけがとりえの
なにもないガレージの片隅で
ブルースのコードを練習しながら
そのことだけがわかっている
そのほかのことはもうたいしたことではない
夕方になったら
僕の好きなワインを持って
和子がガレージにやってくる
僕が和子に聴かせるだろう
二十年以上昔に流行った歌を
すると
「私も歌う」
そう言って和子は歌い始める

いま流行りの歌を
僕はギターを弾く
夜が明けたら
僕と和子はもうガレージにはいないだろう
明日からこのガレージはジョニーのものだ
僕と和子は川向こうの丘で
新しい生活を始めることにしたのだ
an old friend mine, Johnny
週に一度は帰ってくるさ
いつものようにガレージ・ギグで
夜をぶっとばそう
和子も歌うだろう
夜の歌を

マダム・シルクのブラームス

マダム・シルクのジュークボックスはこわれてしまった
もうブラームスはきこえてこないけれど
何といっても
僕はマダム・シルクのブラームスが好きなのさ

忘れられない音楽もある
はじめてマダム・シルクのドアを開けた日
ジュークボックスから流れてきた
ブラームスの第一交響曲に僕はイカれてしまった

あれから何枚の百円玉を入れたろう
ベン・E・キングの〈スタンド・バイ・ミー〉
シャルル・アズナヴールの〈ラ・ボエーム〉
ヘレン・メリルの〈ユード・ビー・ソー・ナイス・トゥ・カム・ホーム・トゥ〉
……
夜はいつもヒットパレードだった
僕の横には君がいて（いつもじゃなかったが）
誰が振っているのか知らないけれど
マダム・シルクのブラームスが僕は好きだった
マダム・シルクのジュークボックスはこわれてしまった

思い出を持つこともできるけれど

思い出なんか持たないで
マダム・シルクのドアを開けるのさ
君と一緒に！
カール・ベームのブラームスも悪くないけれど
マダム・シルクのブラームスが僕は好きだった
好きさ
好きだよ

理由のない理由を尋ねる

僕のうしろに君がいる
詩がなぜそこに置かれていたのか
考えもしなかった二十歳《はたち》の夏
街では郵便配達人が往き交っていた

J-WAVEのヘッドラインニュースが飛び交う朝
こわれていくものがある
流れてくるポルナレフは二十歳のままに
君が欲しい――と歌っている

路上の恋が書き割りに定着される（——誰の手で？）
そして、ピンナップがすべり落ちていく
その緩慢な速度のほかにはなにも見えない昼下がり
歌だけがプログラムをはずれていくのだ

旅

神南《かむなみ》へ
神南へ
ただひたすらに
神南へと
はやるものを抑えても
抑えきれない
妄執が不二の樹海をさまよう
生きているのか死んでいるのか……
その後を尋ねる旅に病んでも

神南へ
蹌踉とする
いまは流儀を問うまい
これもまた宿命かと
神南へと

（註） 神南《かむなみ》——架空の土地の名。

僕らは歩いた

僕らは歩いた
肩をならべて
久し振りに
一本の真直ぐな道を

こんなに近くに
こんなに遠いところがあった
とは

僕らはお互いの無知を笑いながら
もっと大きなことについて笑っている
自動販売機の缶ジュースを飲みほす
かつては子供だったのだ

路上に何もみえないことがこころよい
すべては心のままだ
心のままに　僕らは

港にて

私たちは追いつめられていた
私たちはすでに最低だった
舟に乗る者もいる
帰る者もいた
けれども　私たちには
肯定するものはもちろん
否定するものさえない
「いったい何が知りたいんだ」
酒場では男たちがののしりあっている

小さな悟りなのか
大きな逸脱なのか
一杯のビールを飲みほすと
主題ははっきりしてくるのだが
私は何に逆らっているのだろう
それにしても

八月の恋、あるいは…

1

超えられないものがある
そして／しかし
書く
この偏り
書くことで
愚鈍になり

流されていく

(因果律
神の糞垂る
八月の死／詩)

2

天啓の
(やがては、典型になっていく)
一行への執着を捨てることが
恋を失なうことよりも

つらいときがある

だが
ふたりは愛しあう
深く　完璧に

ホテルの窓の下の舗道を襲う
八月の驟雨が忘れさせてくれるから
（ふたりは）答えを出すことができる
のだろうか

（僕は）ほとんど歌になりそうで

決着のつけ方も知らないままに
書いている

六月の路上

蛆《うじ》の季節
こころが食べられている
食べられない部分もあるが
腐食はまぬがれない

帰ってきたのだ
部分が転がっている路上に——
音なう（訪なう?）ものはなにもない
蠅の翅音のほかには

見合う高さのない六月
story of zero が語り始められる
文体《スタイル》は昔のままに

そのとき
寡黙だった工夫が立ち上がる
詩の一行のように

夏の風

「人生《ライフ》トハ」
明日　エディンバラに旅立つマリク・ズバイクが言う
「goin' on and on and on and on and on and……die」
古いポップスでも歌うように

「文、法、的、に正しいかい？
goin' off and off and off and off and off and……」
マリクが微笑む
スコットランドの夏の風のようだ

我々の上をトーキョーの風が吹いている
どこでもよかったのだ
風になることができるのなら

I must go.（行カナクテハナラナイ）
いつもの言葉でマリクは立ちあがる
行くことだけが残されているみたいだ

見る前に跳べ

——内澤睦男に

肯定し
同時に否定する
その同時なる跳躍を
彼もまた生きたのか

いや　そんなことは（不）可能だ
そうつぶやいて無記の彼方へ向かった
無数の声だけがいまもなお
無記の彼方を生きているのか

生き
同時に死ぬ
その同時なる跳躍を
彼もまたたえず生きたのか

無記の風景のなかで
死は許しているのか
死は許されているのか

一九九二年八月一日
新宿五番街を
北の男がひとり去っていった

酒宴

鳩の糞が乾いた粉となって青い空から降ってくる
それが五月のはじまり
一人二脚でも
二人三脚でも歩けなかった四月の後悔は
一夜明けると
雨に流されている
「思い出なんて捨てちまったよ
longlineが俺の故郷さ」
乾いた鳩の糞を舌の上にのせると

五月の味覚が口内にひろがる
向かいのベランダでは
いつもの番いの鳩が右往左往していて
その不安の形象が私たちの会話をはずませる
だから私はもう一本ワインの栓をあけようとしたのだ

ものたち

どこからでも始められると　さすらうものがある
なんでもないもののように立ち上がるものがある
昼でもない夜でもない時の上をすべりゆくものがある
その影を記憶するものがある

遠く諍いの声が聞こえてくる
批評と悔恨の物語が書き始められるのは
いつだって梟がとびたったあとである

いま、このときも
かたわらを（たれの……）
異相のものが過ぎていく
「無から有を生じるんだ」とうたいながら

無から生まれるものは無である
その小さな声が届けられる頃
記録されるものがある

速度の思考

川が流れている
川の流れている速度が
川と並んで歩いている私の速度が
かなしい
この川は親しいものだろうか
書かれるものは親しいものだろうか
先駆するものと遅延するものとの物語
その相対速度が切断されるとき
深夜の首都高五号線を

大和タクシーが驢馬のような疾駆を開始する
いくつものデッド・マンズ・カーヴをすりぬけて
物語を解体／再構成する
やがて
中台に聳立するサンシティに浮かぶ満月を見上げ
西台にうずくまる大東文化大学の闇を一瞥し
赤塚台をさまよう武士たちを幻視し
速度が落とされていく
いったい　どこへ行こうとしているのだろう
この運転手は

*

*

第二章

捨てられているものがある
捨てる人がいたということか
夢を見る
夢を見られたということか

わたしはまたしてもその門の前に立っていた
なぜ　あの角を曲がらなかったのか
そこにだれもいないことはわかっていたのだから曲がることはできたのに

門の前は無人だった
捨てられたものはそのまま朽ちていくのか　それとも
風に吹かれながら転生していくのか

空を見上げると鴉が西の方に飛んでいくのが見えた
遅れてやってきたものが　いまあの角を曲がっていく

川の思い出

スメタナの「モルダウ」の一節が聞こえてくるような川だった
が　もちろん　これはモルダウ川ではない
私の知らない川だった

にもかかわらず
その川は懐かしい水量を有していた
気がつくと私は何人かの見知らぬ客たちと一緒に川下りの舟に乗っ
　ていた

舟の上では　みな声高に川について批評的に語り合っていた
私には語りたいことはなにもなかった
ただ舟に身をまかせていると
いつしか私は川とひとつになっていた

これはポー川なのか
いや　長良川なのか
私の思惑を知るよしもなく
川はしずかにゆっくりと流れている

偶作

東山に月が出た
それははじめて見る月のようであった
月の光は明らかであった
そのとき明らかにされたものはなにもなかったのだが

気を取り直して川岸のビヤホールに入ると
洞山和尚が生ビールを飲んでいた
なにか見透かされたような気がする
和尚と背中合わせの席を選んで生ビールを注文した

闇は深まるばかりだった
だが闇が深まるにつれて見えてくるものもないわけではなかった
闇が闇を殺すこともあるのだ
そのときすでに和尚はいなかった

外に出ると月の光はいよいよ冴えていた
橋の上から川の流れを眺めると
それは生きている龍のようであった

Remember*

沈もうとしているのだろうか
浮きあがろうとしているのだろうか
いまどこにいるのかわからぬままに
動いているものがある

産み落とされたとき
もうひとつ落とされていくものを見た渠《かれ》は
しかし落とされた時刻と場所とを覚えていない

記憶を取り戻すことができたら
それがほんとうのはじまりとなるであろう
聴きたかったメロディーは聞こえてこなくとも

十月の新宿　早朝の路上では宇宙塵が舞っている
あのときと同じように
けれども　あのときがいつであったのか
渠は思い出せない

＊　John Lennon

川に沿うて

むらさき色のもやがあたりを覆いはじめるころ、私を誘うものがある。そのなにげない仕草は、私を愛しているのだろうか、それとも憎んでいるのだろうか。いや、それはただ、私を誘っているだけであったのかもしれない。二度と戻りたくない道へと。それにしても、そんなことをして、いったいどうするのだ。

川が流れている。川が流れていた。川の流れをしばらく眺めていると、水がある動きを周期的に繰り返していることに気がついた。それは川が終焉に向かっていることを語っているかのようであった。

川に沿うようにして、道を歩きはじめる。それは二度と戻れない道を行くことでもあった。すると蠢くものたちがいる。浄化されていない音や映像が川面を流れていく。そのとき、許されるものがある。価値はなにによってはかられたのだろうか。

川の起源をたずねることは可能だろうか。いや、ここではそれを問うことは禁じられていた。断念ゆえにか。あるいは悔恨ゆえにか。道を行くものはすでにひとではない。川を流れるものはすでにものではない。名づけられないものたちがさまよっている。さまよいながら、散乱していく。赫く光り輝くものに摂取されていくかのようにして。

海の思い出

水平線をながめていると
鎌倉の海だったが
むこうからなにか得体の知れないものがやってきて
ここから先には行けぬという

夢を見ていたのだろうか
メキシコの海岸だったが
津波に襲われたものたちが波間に漂っていた

そのとき
天から垂直に駆け下りるものがあった
それは私の身体を刺し貫き
そして地心に向かった

目が醒めた
丹後の海辺だったが
生まれたばかりの赤子が母親と戯れていた

pseudoblues, 1979

どこをどうさまよったのか
気がつくと安ホテルのベッドの上で朝を迎えていた
昨日から今日へと渡されたクレドがくずおれるのは
グラスの氷がとけるよりも早い

真冬の正午の十字街頭
私を知る者はいない　だれも素通りしていくばかり*
今日から明日へと渡されるクレドはまだ書かれていない
冷たい風が路上を吹きぬけていくばかり

ブルックナーが立ち止まった午後もこんな風が吹いていただろうか
ふと考えるこの時はいつに属しているのだろう
境界を行き交う道はまだ開かれていなかった

rambling on and on and on and on and on……
古い歌が聞こえてくる
夜の微熱のなか魂はいつまでも浮遊していた

＊　ロバート・ジョンソン

土堤の論理

いきなりこのわびしい土堤の道が目の前に現われた理由を誰に尋ね
　ればいいのだろう
もはや引き返すことはできない
とにかく河口に向かってみよう
歩きはじめると　彼方には何本かの煙突とコンビナートの建物と思
　しきものが揺曳していた

なにも考えない
それが歩行の原理であり　土堤の論理であった

土堤を行くものはほかに誰もいない
鳥でも飛んでいればいいのに

どのくらい歩いただろう
やがて河口らしきものが見えてきた
それはしかし地上と空との境界を目くらますかのように乱反射する
　光にさえぎられてかたちをなしていなかった

その光に吸い込まれていくように歩いていくそのとき
これは前に一度歩いた土堤であるということに気がついた
たしか一九六九年の冬であった

蟬の、別れの

蟬が啼いている
いつから啼いているのだろう
いつやむともしれず啼いている
ところで　蟬が啼いているのは
泉川のほとりではない
頭のなかで啼いていたのだ
蟬は英語でなんというのだろう

蟬が蟬でなくなるとき
蟬は啼きやむにちがいない
だがいま蟬は蟬のままに啼きつづけている

ふっと蟬が啼きやむ
蟬はいなくなったのか
いや蟬はなおそこで啼いていた
泉川のほとりで

オリエントの夕日

岩山の谷あいの道を一頭の牛が歩いていた
こんなところに牛がいるのか
はぐれたのだろうか
見捨てられたのだろうか

牛の背が赤く輝いた
振り向くと大きな夕日が地平線の彼方に沈もうとしていた
まだイエスは生まれていなかった
ぼくは十六歳だった

二〇一八年夏　渋谷
セルリアンホテルのバーでウイスキーを喉から胃へとゆっくり流しこむ
街の彼方に大きな夕日が沈もうとしていた

あれから牛はどこへ行ったのだろう
ぼくはいまでも時々思い出す
懐かしさと悔恨の心もて　あのオリエントの夕日を

無題のアリア

――〈creatio ex nihilo〉のための

鳥が飛んでいる　花が咲いている
その鳥の名も　その花の名も　知らぬまま　私は今日まで生
　きてきた
でもあの人が帰ってきたら鳥の名でも花の名でもなんでも知
　ることができるでしょう
あの人は私になんでも教えてくれるから
だれ！　その陰に隠れているのは？
「知らなくてはいけないことはほかにある」

そうささやくのはだれ？

いいえ　私が知らなくてはいけないのは
あの空を高く飛ぶ鳥の名です
この足元に咲く小さな花の名です

ほら　あの人が帰ってくる
あの人は私になんでも教えてくれるでしょう
鳥の名や花の名を
そして私がもうひとりではないことを

あとがきにかえて

『そして君と歩いていく』は、岡田幸文の第三詩集となります。『あなたと肩をならべて』『アフター ダンス』をまとめて以来、約三十年の月日が流れています。この間、詩のそばで生きながらも、詩を書くことはありませんでした（個人誌「冬に花を探し、夏に雪を探せ。」を出すことになった理由の一つは、詩を書きたくなったからだと言っていました）。詩を書かなかった日々、岡田は、すぐれた一篇の詩を世に伝える「仕事」をひたすら続けていたように思います。

「詩の新聞　midnight press」の編集後記には、イタリアの詩人、ウンガレッティの言葉を紹介している箇所があります。

「まさに詩だけが――私はそれを恐ろしいまでに学び取ってきた、

そして、身に沁みて知っている――わずかに詩だけが、どれほどの悲惨が押し寄せてきても、自然が理性を支配しても、人間がおのれの作品をかえりみなくなり、たとえ《元素》の海に漂っていると誰もが気づいたときにも、まさに詩だけが、人間を回復できるのだ」と。

そして、岡田の言葉は次のように終わっています。

「こういう応答、練り直しこそ、詩のそばで語り、そして生きることだろう。」と。

この詩集のタイトルは、共に生きた、同志でもある私への岡田の言葉です。これからも、詩のそばで、共に歩いていきたいと思います。

二〇二〇年　六月二十一日　夏至の日に

山本かずこ

初出一覧

＊

エニグマの像　「n2001」第十一号　二〇〇二年四月

歌降町　「ガレージ・ランド」第八号　一九九七年一月

冬のシャンソン　「n2001」第三号　一九九八年六月

夜のメロディー　「n2001」第九号　二〇〇〇年十月

どこへ　「n2001」第三号　一九九八年六月

京都　4　「青髭」VoL.二十四号　一九九二年七月

京都　5　「青髭」VoL.二十四号　一九九二年七月

一九九〇年秋、新宿　「火のなかの輪」VoL.十三号　一九九一年五月

春歌　1　「n2001」第一号　一九九七年七月

春歌　2　「n2001」第一号　一九九七年七月

最後の夜　「鰐組」第二十四号　一九八三年五月

前夜　「n2001」第四号　一九九八年十一月

思い出　「n2001」第七号　一九九九年十二月

一九九九年一月十一日、数寄屋橋を往く　「n2001」第五号　一九九九年三月

夜の歌　「n2001」第一号　一九九七年七月

一九九二年のリバー・ガレージ・ギグ
「ガレージ・ランド」第一号　一九九二年四月

マダム・シルクのブラームス　「一度かぎりのマダム・シルク」一九八五年十二月

理由のない理由を尋ねる　「n2001」第八号　二〇〇〇年五月

旅　「n2001」第六号　一九九九年八月

僕らは歩いた　「一号詩誌　OLD STATION」一九八八年十二月

港にて　「ガレージ・ランド」第七号　一九九六年三月

八月の恋、あるいは…　「DANCE!」第一号　一九八六年一月

六月の路上　「あんさんぶる」第三九〇号　一九九六年六月

夏の風　「n2001」第二号　一九九七年十二月

見る前に跳べ　——内澤睦男に
「詩の新聞　midnight press」第十二号　一九九二年十一月

酒宴　「ガレージ・ランド」第七号　一九九六年三月

ものたち　「n2001」第十号　二〇〇一年三月

速度の思考　「n2001」第十四号　二〇〇四年十二月

＊　＊

第二章　「冬に花を探し、夏に雪を探せ。」No.七　二〇一九年一月

川の思い出　「冬に花を探し、夏に雪を探せ。」No.四　二〇一八年七月

偶作　「冬に花を探し、夏に雪を探せ。」No.十　二〇一九年七月

Remember　「冬に花を探し、夏に雪を探せ。」No.一　二〇一八年一月

川に沿うて　「冬に花を探し、夏に雪を探せ。」No.九　二〇一九年五月

海の思い出　「冬に花を探し、夏に雪を探せ。」No.八　二〇一九年三月

Pseudoblues, 1979　「冬に花を探し、夏に雪を探せ。」No.六　二〇一八年十一月

土堤の論理　「冬に花を探し、夏に雪を探せ。」No.十一　二〇一九年九月

蟬の、別れの　「冬に花を探し、夏に雪を探せ。」No.二　二〇一八年三月

オリエントの夕日　「冬に花を探し、夏に雪を探せ。」No.五　二〇一八年九月

無題のアリア　「冬に花を探し、夏に雪を探せ。」No.三　二〇一八年五月

岡田幸文（おかだ　ゆきふみ）

一九五〇年七月二十九日 京都生まれ。東京で育つ。詩集に『あなたと肩をならべて』（一九八二年 いちご舎刊）、『アフター ダンス』（一九八九年 ミッドナイト・プレス刊）。一九八八年　詩の出版社ミッドナイト・プレスを創立。「詩の新聞 midnight press」「詩の雑誌 midnight press」「midnight press web」の編集を手がける。その生を通して「詩のそばで語り、そして生きる」（岡田の発言より）ことを続けた。（二〇一九年十二月九日没）

ミッドナイト・プレス

そして君と歩いていく

二〇二〇年七月二十九日発行
著者　岡田幸文
発行者　岡田和子
発行所　ミッドナイト・プレス
埼玉県和光市白子三-一九-七-七〇〇二
電話　〇四八（四六六）三七七九
振替　〇〇一八〇-七-二五五八三四
http://www.midnightpress.co.jp
印刷・製本　モリモト印刷

ISBN978-4-907901-22-6